BATMAN

LE RETOUR DE L'ÉPOUVANTAIL !

P'TIT TOME

Albin Michel

1
AU FEU !

Dan Reiner passe une mauvaise journée. Cela fait presque douze heures qu'il est debout, derrière la caisse. Il remplace son amie Jill, qui est malade. Tous deux travaillent pour Berger, le plus grand magasin de Gotham City. Dan consulte sa montre. Dix heures moins cinq : bientôt l'heure de rentrer chez lui.

– Eh oh, dit une voix devant lui.

Dan lève les yeux. Une vieille dame le regarde d'un air agacé.

– Pardon madame, s'excuse-t-il. Je ne vous avais pas vue.

– Oui, oui, répond-elle en posant un pull sur le comptoir. Je n'ai pas que ça à faire. Alors, combien je vous dois ?

Toutes les lumières du magasin s'éteignent d'un coup. La vieille dame se tait. Comme tous les autres clients, elle est inquiète.

– Eh ! s'écrie un homme de l'autre côté de la salle. Qu'est-ce qui se passe ?

Dan distingue à peine une ombre sous le panneau « Sortie ».

– Les portes sont verrouillées ! crie le même homme.

Dan se faufile à travers la foule jusqu'à l'entrée. Il essaie d'ouvrir les portes mais impossible. C'est donc vrai ! Sans la clé du gérant, ils sont tous coincés. Dan regarde les clients paniqués autour de lui. Sa longue journée est loin d'être finie…

À quelques minutes de là, Batgirl fait de son mieux pour suivre Batman.

La jeune femme lance un grappin en l'air, mais constate que son mentor a déjà deux immeubles d'avance. Elle lève les yeux au ciel. Elle est sûre qu'il fait exprès de se dépêcher juste pour l'embêter.

Le câble très solide du grappin de Batgirl s'enroule autour d'une gargouille sur le toit d'en face. Elle prend de l'élan et saute dans le vide. Puis elle se balance et contourne l'immeuble. Grâce à son entraînement de gymnaste, elle se rattrape sur le toit d'après.

Batman est debout près du bord. Sa cape ondule dans le vent.

– Qu'y a-t-il ? demande-t-elle. Tu fatigues parce que tu es vieux ?

Batman indique la rue en contrebas.

– On descend, souffle-t-il avant de se laisser tomber dans le vide.

Batgirl le regarde planer vers l'une des entrées du grand magasin Berger. Elle ne remarque rien d'anormal. Quand soudain…

Batgirl ouvre grand les yeux. Une des portes en verre vient de se briser de l'intérieur. Des dizaines de clients essaient d'en sortir. Quelqu'un va finir par se blesser.

Arrivé au sol, Batman se penche devant les portes.

CLINK CLINK

Il casse la serrure avec un petit outil sorti de sa ceinture. Le temps que Batgirl le rejoigne, il a déjà fini. Il ouvre les portes en grand. La foule paniquée se précipite dehors.

– Occupe-toi des autres sorties, crie-t-il à Batgirl en se frayant un chemin dans la foule.

– Mais toi, où vas-tu ? demande Batgirl.

– Chercher celui qui a fait ça.

Batgirl aide une dame à se relever et essaie de suivre Batman du regard. Trop tard ! Il a déjà disparu.

Batman monte en courant les escalators en panne, jusqu'au dernier étage. Il dépasse le rayon parfumerie et va vers la salle de repos des employés.

Il a déjà sa petite idée sur l'identité du coupable. Personne n'a rien volé, même pas l'argent dans les caisses. Celui qui a

verrouillé les portes et éteint les lumières l'a seulement fait pour créer la panique. Et Batman ne connaît qu'un seul criminel qui aime autant faire peur : Jonathan Crane, dit l'Épouvantail.

CLINK

CLINK

Batman fait sauter le verrou de la salle de repos des employés. Il l'ouvre doucement. Au bout du long couloir, il voit passer l'ombre furtive d'un homme. Batman se lance à sa poursuite.

Arrivé dans la salle de maintenance, il aperçoit une échelle posée
sous une trappe. Ni une ni deux,
il grimpe sur le toit. Quelqu'un se
tient dans l'ombre, au pied de la
citerne.

– Pourquoi m'empêches-tu de
m'amuser, Batman ? demande
l'homme.

– Tu aurais pu blesser quelqu'un,
Crane, répond Batman en approchant doucement.

De la main droite, Batman prend
quelque chose dans sa ceinture.

– Tu te trompes Batman, se moque
l'homme. Je ne suis pas Crane.

– Approche pour le prouver, ordonne Batman.

Tout en parlant, Batman tire discrètement un Batarang de sa ceinture.

– Mais ça gâcherait la surprise, ironise l'homme. Et on ne peut pas faire peur s'il n'y a pas de surprise.

Batman lance son arme. L'épais câble s'enroule autour de l'homme.

THUD!

L'homme tombe par terre, en pleine lumière. Et là ! Surprise ! Ce n'est pas l'Épouvantail. En fait, Batman n'a jamais vu cet homme de sa vie.

2
NUIT BLANCHE

– Tu travailles encore ? demande Batgirl en arrivant dans la Batcave.

– Hmm, répond Batman, en continuant de regarder l'écran de son ordinateur.

– Tu sais, ce n'est pas vraiment une réponse, se moque Batgirl.

– Pardon, s'excuse Batman. J'étais perdu dans mes pensées.

– Tu as trouvé une piste ?

– Aucune. L'homme s'appelle David

Scheeve. C'est un gérant de magasin tout à fait ordinaire. Aucun casier judiciaire. Aucun problème psychologique. Il travaille chez Berger depuis plus de douze ans.

– Rien à voir avec un patient de l'Asile d'Arkham, dit Batgirl en étudiant la photo de Scheeve à l'écran. Il a un lien avec le professeur Crane ?

– Je n'en ai trouvé aucun, continue Batman en ouvrant une autre fenêtre sur son écran pour écrire quelques mots. Et toutes ses relations sont innocentes aussi. La plupart des gens le trouvent gentil, généreux et discret.

– On parle bien du même homme ?

demande Batgirl. Hier soir, c'était un véritable moulin à paroles, même quand tu l'as menotté.

– Et pourtant, ça ne lui ressemble pas du tout, explique Batman en bâillant. Au fait Barbara, quelle heure est-il ?

– Presque sept heures et demie du matin. Tu as passé toute la nuit sur l'ordinateur.

Batman se retourne et s'enfonce dans l'ombre de la Batcave.

– Il faut que tu appelles Wayne Entreprise pour m'excuser, dit-il à Batgirl.

– T'excuser ? Mais pourquoi ?

Elle entend les pas de Batman, une porte de placard qui s'ouvre et le bruit de sa cape.

– J'avais rendez-vous pour une réunion des directeurs ce matin, répond-il. On dirait que je vais être en retard.

– Qu'est-ce que je leur donne comme excuse ?

– Dis-leur que je fais les boutiques.

– Bien sûr, dit Batgirl en éclatant de rire. Tu as vingt versions du même costume noir. Qu'est-ce que tu pourrais bien acheter ?

Bruce Wayne, l'identité publique de Batman, sort de l'ombre. Il porte l'un de ses costumes habituels et tient une mallette à la main.

– Peut-être un autre partenaire pour combattre le crime ? répond-il à Batgirl avec un sourire.

Il monte l'escalier vers le manoir Wayne, et entend la jeune femme répondre :

– Pauvre Robin, ça va lui faire de la peine.

– Assez plaisanté, fait Bruce en sortant. Appelle-les.

3
LA MORT
EN FACE

L'ascenseur de l'immeuble Wayne est beaucoup plus lent que d'habitude. Bruce regarde sa montre. Il est presque huit heures. Les directeurs vont être furieux. Si ça se trouve, ils sont déjà partis. *Tant pis*, pense Bruce. C'est bon pour son identité secrète. Plus on le prend pour un milliardaire fainéant, moins on se doute qu'il est aussi Batman.

Bruce regarde les gens autour de lui. Personne ne dit quoi que ce soit. Après

tout, c'est lui le grand patron. Les employés de Wayne Entreprise le reconnaissent. Il est normal qu'ils soient très polis. Il leur arrive rarement de prendre l'ascenseur avec leur patron. Bruce sourit poliment à son voisin. L'homme essaie de sourire sans avoir l'air trop nerveux.

SKREEEEEEEECH!

L'ascenseur s'arrête net. Bruce reprend son équilibre. Autour de lui, les employés sont un peu inquiets. Puis, tout aussi vite, **SNAP!** l'ascenseur se met à tomber. Les câbles ont été coupés…

Les employés commencent à crier. Bruce

regarde le plafond. Tous les ascenscurs de son immeuble sont munis de trappes de sortie. Alors qu'il va agir, l'ascenseur s'arrête. Plusieurs passagers tombent à la renverse. D'autres se tiennent au mur. Bruce reste debout. Il serre la poignée de sa mallette dans une main. De l'autre, il rattrape son voisin avant qu'il tombe.

– M-merci, m-monsieur, remercie l'homme quand l'ascenseur se remet en marche.

Il monte beaucoup plus vite que la normale.

Les lumières de la cabine clignotent. Beaucoup de passagers recommencent à crier. Certains ferment les yeux, et attendent que le cauchemar se termine. Puis l'ascenseur tombe à nouveau.

Il descend à une vitesse folle. Les lumières clignotent toujours. Cette fois, le voisin de Bruce a vraiment peur. Il le regarde, mais Bruce a disparu ! L'homme se met à crier au moment où l'ascenseur s'arrête de nouveau.

S'il avait levé les yeux, il aurait vu son patron milliardaire disparaître par la trappe du plafond.

Bruce a profité d'un moment d'obscurité pour s'éclipser. Il referme la trappe

derrière lui et regarde dans la colonne d'ascenseur. Personne. Il ouvre rapidement sa chemise, révélant le symbole noir de la chauve-souris. Heureusement qu'il a gardé sa tenue de travail. Il se doutait bien qu'il en aurait besoin. Il retire rapidement le reste de son costume. Il ouvre sa mallette et en sort son masque, ses bottes et ses gants. Quelques instants plus tard, ce n'est plus Bruce Wayne sur l'ascenseur, mais Batman.

Puis l'ascenseur recommence à tomber ! Batman sort son pistolet à grappin de sa ceinture et tire vers le haut.

Le grappin s'accroche au sommet de la cage d'ascenseur, près des câbles. Batman appuie sur un bouton, et il est tiré vers le haut. Il remarque alors que les portes du dernier étage sont ouvertes. Tandis qu'il s'en approche, il aperçoit l'ombre d'un homme.

Mais Batman s'inquiète surtout pour l'ascenseur qui continue sa chute libre. Il sort vite une petite capsule de sa ceinture et la lance au-dessus de lui.

La capsule éclate. Des cristaux de glace s'en déversent aussitôt, pour se coller aux poulies et aux câbles de l'ascenseur. En quelques secondes, la machine s'arrête. Les câbles sont gelés, et l'ascenseur ne peut plus bouger. Les passagers sont sauvés, du moins pour le moment.

Batman saute jusqu'aux portes ouvertes et se pose sur le palier du soixantième étage. En se redressant, il aperçoit la réceptionniste. Sans un mot, elle tend un doigt tremblant vers la sortie de secours à sa gauche. Batman hoche la tête et se précipite vers l'escalier.

Un homme en gilet orange descend les marches en courant. Il a deux étages

d'avance sur Batman. Même de loin, le héros voit que l'homme a les mains couvertes d'huile. C'est forcément lui qui a saboté l'ascenseur.

Batman lance alors quelques billes dans l'escalier.

En frappant les marches, une fumée s'en échappe. Batman sort vite un masque respiratoire pour avancer dans la fumée.

Quelques étages plus bas, il rattrape l'homme en gilet orange. La fumée l'empêche de respirer. Batman étudie

son visage. Mais comme le gérant du magasin Berger, il ne le reconnaît pas.

– Vous... avez tout gâché, dit l'homme à bout de souffle. Il y avait tant de peur. Ils hurlaient.

– Qui t'a envoyé ? gronde Batman.

– Et vous, qui vous envoie ? murmure l'homme en posant la tête par terre.

Le gaz soporifique de Batman fonctionne trop bien. L'homme perd connaissance. La fumée se dissipe dans l'escalier, mais Batman se sent encore perdu dans le brouillard.

4
L'ORIGINE DU MAL

La porte du bureau de Gary Cosh grince en s'ouvrant. Une personne entre, sans allumer la lumière. Après tout, Batman travaille mieux dans le noir.

Il sort une lampe torche de sa ceinture.

Il la tient entre ses dents, et examine les vieux relevés téléphoniques, les factures et les dossiers des employés.

Il cherche tout ce qui pourrait le renseigner sur ces crimes bizarres.

Batman s'approche du bureau. Il retire la lampe de sa bouche et appuie sur le côté de son masque.

– Oui patron ? répond Batgirl dans l'oreillette.

– Je veux que tu regardes quelque chose, demande Batman dans son micro. As-tu encore le fichier de David Scheeve sur l'écran ?

– Un instant. Voilà, je l'ai. Que veux-tu savoir, Bruce ?

– Je suis dans le bureau d'un des employés de maintenance de Wayne Entreprise, explique Batman. Il s'appelle Gary Cosh. Y a-t-il un lien avec David Scheeve ou Jonathan Crane ?

Dans la Batcave, Batgirl fait une recherche dans les fichiers de l'ordinateur. Aucun résultat.

– Rien du tout, répond-elle dans le micro. Le dossier de Scheeve ne parle pas de Gary Cosh.

– Pfft, grogne Batman.

Il feuillette l'agenda posé sur le bureau.

– Laisse-moi deviner, dit Batgirl. Tu as trouvé un autre fou.

– Comme le précédent. Lui aussi est obsédé par l'idée de faire peur, et n'a aucun casier judiciaire. Il travaille pour ma société depuis des années sans le moindre problème.

– Alors tu penses encore que l'Épouvantail est derrière tout ça ?

– À mon avis, il a modifié son gaz effrayant, continue Batman en tournant les pages du calendrier.

– Au lieu de faire paniquer les gens, ce nouveau gaz donnerait envie de faire peur ? demande Batgirl. Ça n'a pas l'air très efficace.

– Mais ça ressemble bien à une expérience de ce fou de Crane.

Soudain, Batman arrête de feuilleter l'agenda. La date de la veille est entourée en rouge, avec un dessin de dent.

– Batgirl, Scheeve a-t-il eu un rendez-vous chez le dentiste, récemment ?

– Attends, je pirate les fichiers de son assurance, lance Batgirl en tapant sur le clavier. Oui, il y est allé ! Il y a deux jours, il s'est fait détartrer au cabinet des « Dentistes Délicats », sur Main Street. Ça t'aide ?

Batgirl attend une réponse, qui ne vient pas.

– Bon, se dit-elle. Ça doit vouloir dire oui.

5
RENDEZ-VOUS ULTIME

Sonita Henry a horreur d'aller chez le dentiste. Rien que le son de la fraise lui donne le frisson. Pourtant, elle est toujours dans la salle d'attente.

Elle regarde autour d'elle. *C'est très sombre, pour un cabinet dentaire*, pense-t-elle. Tout a l'air si vieux et si poussiéreux. Même le miroir à côté d'elle est abîmé.

– Vous êtes prête ? demande une voix derrière elle.

Sonita sursaute. Son dentiste vient d'entrer dans la pièce. Il porte un masque chirurgical. Elle ne peut qu'entrevoir ses yeux sombres.

– Euh, oui, allons-y.

– Commençons par l'anesthésie.

Le dentiste se dirige vers une bouteille de gaz, reliée à un tube avec un masque.

– Je ne voudrais pas que vous ayez mal, ajoute-t-il en approchant la bombonne.

– Qu'est-ce que c'est ? demande la jeune femme.

– Un décontractant, explique l'étrange dentiste. On s'appelle les Dentistes Délicats, et on y tient.

Sonita hausse les épaules et s'appuie contre le dossier. Le dentiste lui pose le masque sur le nez et la bouche.

– Détendez-vous et respirez profondément.

Sonita a l'impression que le dentiste sourit derrière son masque.

Sonita baisse les yeux vers le tube de la bouteille de gaz. Une drôle d'étoile de

ninja vient de le couper en deux. Elle regarde mieux, et voit que l'arme est en forme de chauve-souris.

Soudain, le dentiste est projeté contre le mur du fond.

Sonita cherche ce qui a pu le pousser. Derrière elle, presque caché dans l'ombre, elle reconnaît Batman.

– Retenez votre respiration et courez, ordonne Batman.

Sonita obéit et file vers la sortie. Batman regarde le tube tranché. Un gaz vert s'en échappe. Il se couvre la bouche. De l'autre côté de la pièce, le dentiste arrache son masque et dévoile sa véritable identité : c'est l'Épouvantail !

Il a l'air encore plus fou que d'habitude. Batman comprend tout de suite pourquoi. L'Épouvantail ne s'intéresse qu'à la peur. En inhalant les vapeurs qui s'échappent de son propre gaz, son obsession ne peut qu'être renforcée.

– Depuis que je suis tout petit, j'ai peur du dentiste, avoue l'Épouvantail. J'ai pensé que ce serait l'endroit idéal pour répandre la terreur.

Batman ne répond pas. Il avance lentement vers son ennemi.

– Tu sais ce qui est amusant avec mon nouveau gaz, Batman ? demande l'Épouvantail en ouvrant doucement un tiroir à côté de lui. C'est que je n'ai

pas eu le temps d'éliminer tous les effets secondaires.

Il sort une boîte d'allumettes du tiroir.

– Par exemple, explique-t-il en grattant une allumette, il est très inflammable !

Batman court vers l'Épouvantail, mais trop tard ! Il a déjà lancé l'allumette vers la bombonne.

Batman est projeté contre le mur.

Autour de lui, toute la pièce est en feu et l'Épouvantail a disparu.

Batman se précipite dans le couloir. Il aperçoit le criminel s'éclipser dans un autre couloir. Mais bientôt, l'Épouvantail n'a plus d'issue de secours. La dernière pièce n'est qu'un placard.

— C'est la fin de tes expériences, l'Épouvantail, dit Batman.

— C'est ce que tu crois, Batman ! crie le faux dentiste en se jetant sur lui. Aaah !

Batman l'esquive puis lui donne un coup de pied dans le dos.

L'Épouvantail s'écroule au sol, sans force. Il a respiré trop de fumée.

Batman soulève le faux dentiste et lui passe les menottes.

CLINK CLINK

Il entend les sirènes de police dans la rue. On dirait que Batgirl a fait sa part du travail.

Batman tire l'Épouvantail à moitié assomé jusqu'à la porte. Puis, il le remet à deux agents de police.

Au moment où les policiers poussent le criminel dans la voiture, la voix de Batman résonne.

– C'est fini pour toi, l'Épouvantail. Plus personne ne répandra la peur dans Gotham City !

– Oh, j'espère que tu plaisantes, répond l'Épouvantail dans un grand éclat de rire. À ton avis, Batman, qui m'a donné l'idée de ce plan ?

Les policiers se retournent vers la porte pour voir la réaction du justicier, mais il n'y a plus personne. Il a disparu dans la nuit sombre, survolant les rues de la ville au bout de son grappin.

Pour une fois, l'Épouvantail a raison.

Les criminels de Gotham City continue-
ront de craindre une chose : Batman, le
plus grand détective du monde !

L'ÉPOUVANTAIL

NOM: Jonathan Crane

ACTIVITÉ: Criminel

BASE: Gotham City

TAILLE:
1,83 m

POIDS
65 kilos

YEUX
Bleus

CHEVEUX
Bruns

Jonathan a toujours éprouvé une attirance pour la peur. Jeune, il est maltraité par ses camarades de classe. Il décide alors de se libérer de ses pires angoisses. Il devient un éminent professeur en psychologie et il se spécialise dans l'étude de la peur. Il réussit à décrypter les moindres secrets de ce sentiment. Il revient se venger de ses persécuteurs en utilisant les plus terrifiants de leurs cauchemars. Il se transforme en un dangereux criminel qui aime être appelé l'Épouvantail.

D.P.G.C.

DÉPARTEMENT DE POLICE DE GOTHAM CITY

- Crane est devenu professeur à l'université de Gotham City dans le but de poursuivre ses recherches diaboliques. Mais quand ses collègues découvrent son secret, ils le dénoncent. Il est licencié. Pour se venger, il revient sous le masque de l'Épouvantail et les fait mourir de peur.

- L'Épouvantail n'utilise pas d'armes à feu. Il préfère semer la panique en se servant d'un gaz toxique qui oblige ses victimes à vivre leurs pires cauchemars. Ainsi, il apparaît comme un redoutable et terrifiant criminel aux yeux des malheureuses âmes qui le rencontrent.

- Sa première rencontre avec Batman le traumatise car s'il y a bien une chose qui peut effrayer Crane, ce sont les chauves-souris. Il est terrifié par ces animaux.

- Le pouvoir de Crane se révèle souvent avantageux. Il a réussi à s'enfuir de la prison d'Arkham en hypnotisant deux des gardiens.

CONFIDENTIEL

TABLE DES MATIÈRES

Collection dirigée par Lise Boëll

Publication originale : Stone Arch Books

BATMAN created by Bob Kane
Texte : Matthew K. Manning
Illustrations : Erik Doescher, Mike DeCarlo et Lee Loughridge

Adaptation française :
© Éditions Albin Michel, S.A., 2013
22 rue Huyghens, 75014 Paris
www.albin-michel.fr

Traduction : Cédric Perdereau
Conception éditoriale : Lise Boëll
Éditorial : Marie-Céline Moulhiac
Direction artistique : Ipokamp

ISBN 978-2-226-24472-7
Loi n°49-956 du 16 juillet 1949 sur les publications destinées à la jeunesse
Achevé d'imprimer en France par Pollina - L62992E
Dépôt légal : janvier 2013